W9-CSS-572

亲子互动丛书

关注幼儿发展

快乐童年

好故事

聪明豆

BABY

内蒙古少年儿童出版社

目录

小熊妮妮牙痛记 3

亭上的字 9

森林里的小霸王 16

奇奇不是“漏嘴巴” 25

海底营救大集合 32

哭泣的草坪 39

巨人奇遇记 45

助幼敬老的小猴子 51

小熊妮妮牙痛记

小熊妮妮喜欢吃甜食！尤其是糖，怎么吃都吃不够。

妈妈不让妮妮吃糖，就把糖藏了起来，可是无论藏在哪儿，妮妮都能找到。

可是这几天妮妮什么都不想吃。因为她的牙齿特别疼。疼得她"哎哟，哎哟"地直叫！

熊妈妈看到妮妮这个样子，就把她带到了猴医生那里。

猴医生认真检查后，告诉熊妈妈妮妮的牙齿生了蛀虫！在医生的治疗下，妮妮的牙齿很快痊愈了！

妮妮记住了医生的话："吃完糖要认真刷牙！"这样，就再也不会长蛀牙了！

亭上的字

山羊老师刚刚宣布"现在放假",小猴游游就急忙地抱着书包窜出了教室。

游游可以到爷爷奶奶家过暑假了！那里有游游最好的朋友。

游游刚到爷爷奶奶家，就招呼好朋友们一起去爬山！爬了好一会，大家有些累了，于是游游就提议到凉亭去休息一下。

dà jiā dào le liáng tíng dōu zài
大家到了凉亭，都在
nà liáng xiū xi yóu you zé shì zài liáng
纳凉休息。游游则是在凉
tíng li zhè mō mo nà qiáo qiao de
亭里这摸摸，那瞧瞧的。

突然，游游叫了
起来："大家快来看！"
大家围了过去，一看，
原来柱子上有几个
字："到此一游"。

13

游游气愤地对小伙伴们说："怎么能乱写乱画呢？怎能这样不爱护公物呢？我们把这行字抹下去吧！"

大家一起动手，费了好大的劲儿，凉亭才恢复了美丽的样子。

15

森林里的小霸王

森林深处的小木屋住着一只叫壮壮的小老虎，他可凶了。仗着自己是百兽之王，到处欺负小动物。

有一次，小白兔生了很严重的病，小乌龟背着一大篮子的胡萝卜去看望他，哪知道走在半路上竟然遇见了小霸王壮壮。

<ruby>壮<rt>zhuàng</rt></ruby><ruby>壮<rt>zhuang</rt></ruby><ruby>不<rt>bú</rt></ruby><ruby>但<rt>dàn</rt></ruby><ruby>凶<rt>xiōng</rt></ruby><ruby>巴<rt>bā</rt></ruby><ruby>巴<rt>ba</rt></ruby><ruby>地<rt>de</rt></ruby><ruby>抢<rt>qiǎng</rt></ruby><ruby>去<rt>qù</rt></ruby><ruby>了<rt>le</rt></ruby><ruby>萝<rt>luó</rt></ruby>

壮壮不但凶巴巴地抢去了萝

bo hái è liè de bǎ xiǎo wū guī bān fān zài dì
卜，还恶劣地把小乌龟搬翻在地。

hài de xiǎo wū guī sì zhī cháo tiān wǔ dòng sì zhī
害得小乌龟四肢朝天，舞动四肢，

zài dì shang tǎng le hǎo jiǔ
在地上躺了好久。

zhuàngzhuang hái qī piàn xiǎo zhū pá shù   piàn tā
壮 壮 还 欺 骗 小 猪 爬 树 ， 骗 他

shuō shù shang yǒu hǎo chī de   shǎ shǎ de xiǎo zhū zhēn de
说 树 上 有 好 吃 的 ， 傻 傻 的 小 猪 真 的

pá shù qù zhǎo chī de   jié
爬 树 去 找 吃 的 ， 结

guǒ cóng shù shang diào le xià lái
果 从 树 上 掉 了 下 来 ，

shuāi de bí qīng liǎn zhǒng
摔 得 鼻 青 脸 肿 。

19

大家都不愿意和壮壮一起玩了，只要它在，别的小动物马上走开。渐渐的，壮壮感到有点儿孤单。

20

zhè tiān zhuàngzhuang mǎi le yí gè xīn zú qiú tā

这天壮壮买了一个新足球，他

qù zhǎo xiǎo lù xiǎo lù yí jiàn tā zhuǎn shēn jiù pǎo

去找小鹿。小鹿一见他，转身就跑。

zhuàngzhuang qù zhǎo xiǎo xióng xiǎo xióng shuō wǒ bù hé

壮壮去找小熊，小熊说："我不和

nǐ wán nǐ jìn shuǎ lài

你玩，你尽耍赖。"

zhuàng zhuang chuí tóu
壮 壮 垂 头

sàng qì de wǎng jiā zǒu
丧 气 地 往 家 走，

xià yǔ le yě bù duǒ
下 雨 了，也 不 躲。

yí zhèn fēng chuī lái zhuàng
一 阵 风 吹 来，壮

zhuang dǎ le gè dà pēn tì
壮 打 了 个 大 喷 嚏。

xiǎo dòng wù men zhī dào zhuàngzhuang bìng le dōu lái
小动物们知道壮壮病了，都来

kàn wàng tā zhuàngzhuang gǎn dòng de wū wu de kū le
看望他。壮壮感动得呜呜地哭了：

nǐ men duì wǒ tài hǎo le wǒ yǐ hòu zài yě bù
"你们对我太好了，我以后再也不

qī fu nǐ men le xiǎo dòng wù men kàn jiàn zhuàngzhuang
欺负你们了。"小动物们看见壮壮

chéng rèn le cuò wù dōu kāi xīn de xiào le
承认了错误，都开心地笑了。

没过几天，壮壮好了，小伙伴们又一起开开心心地做游戏了。

奇奇不是"漏嘴巴"

奇奇在院子里吃饭。他一边吃，一边瞧着蝴蝶跳舞。不知不觉，饭粒撒得到处都是。

dà gōng jī kàn jiàn le　dēng dēng de pǎo guò qù
大公鸡看见了，噔噔地跑过去，

zuǐ li rǎng zhe　　　tài hǎo la　pèng dào yí gè lòu zuǐ
嘴里嚷着："太好啦，碰到一个漏嘴

ba de xiǎo dì di　zhè huí wǒ yǒu shí er chī la
巴的小弟弟，这回我有食儿吃啦！"

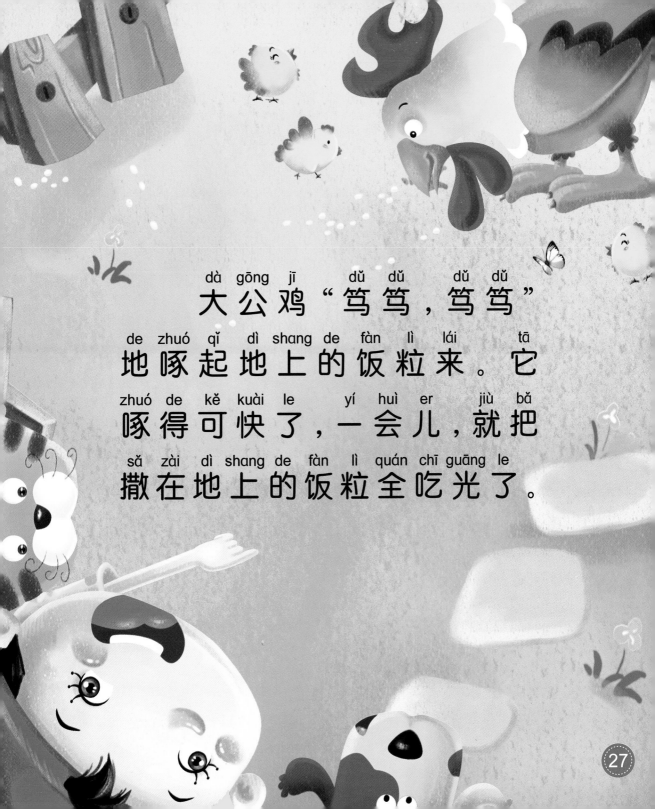

大公鸡"笃笃，笃笃"
地啄起地上的饭粒来。它
啄得可快了，一会儿，就把
撒在地上的饭粒全吃光了。

dà gōng jī jué de méi yǒu chī bǎo tā tái qǐ
大公鸡觉得没有吃饱。它抬起
tóu lái kàn kan hǎo ya qí qi de zuǐ biān hái yǒu
头来看看，好呀！奇奇的嘴边还有
jǐ lì fàn yú shì jiù lái zhuó qí qi de zuǐ ba
几粒饭。于是，就来啄奇奇的嘴巴。

奇奇吓得大哭："妈妈，妈妈！"妈妈来了，奇奇扑到妈妈的怀里"为什么公鸡说我是漏嘴巴？"

妈妈说："傻孩子，哪有漏嘴巴呀，那是你吃饭的时候，东看看，西瞧瞧，撒饭太多，看起来像是漏嘴巴一样。"

cóng cǐ yǐ hòu qí qi zǒng shì bǎ fàn chī de
从此以后，奇奇总是把饭吃得

gān gān jìng jìng de tā ná zhe kōng wǎn duì dà gōng jī
干干净净的。他拿着空碗对大公鸡

shuō wǒ shì hǎo hái
说："我是好孩

zi bú shì lòu zuǐ
子，不是漏嘴

ba dà gōng jī zhǐ
巴。"大公鸡只

hǎo zhǎo chóng zi chī le
好找虫子吃了。

31

海底营救大集合

美丽的海底世界是小比目鱼晶晶的游乐场。

晶晶每天都和其它五颜六色的小热带鱼们在大海中做各种各样的游戏，玩得特别高兴。

33

zhè tiān jīng jing hé xiǎo huǒ bàn men zhèng zài wán
这天，晶晶和小伙伴们正在玩

er zhuō mí cáng ne tā men yóu
儿捉迷藏呢！她们游

lái yóu qù duō kuài lè a
来游去，多快乐啊！

突然，小鱼可可被海藻缠住了。她急得哭了出来。

jīng jing fā xiàn le bèi chán zhù de kě ke yóu
晶晶发现了被缠住的可可，游
dào tā shēn biān shuō wǒ lái bāng nǐ kě shì
到她身边说："我来帮你。"可是，
wú lùn tā zěn me nǔ lì
无论她怎么努力，
kě ke dōu chū bù lái
可可都出不来。

zhè shí， xǔ duō
这时，许多
xiǎo huǒ bàn yì qǐ gǎn lái
小伙伴一起赶来
le dà jiā yì qǐ bāng
了，大家一起帮
zhù kě ke fèi le hǎo
助可可，费了好
dà de jìn zhōng yú bǎ
大的劲，终于把
kě ke jiù chū lái le
可可救出来了。

可可说：“谢谢！”晶晶说：“是因为大家的帮忙，大家的力量好大啊！”小伙伴们都赞成地鼓起掌来。

哭泣的草坪

chūn tiān dào le xiǎo lù duō duo jiā de mén qián
春天到了，小鹿多多家的门前
zhǎng chū le yí piàn nèn lǜ de xiǎo cǎo
长出了一片嫩绿的小草。

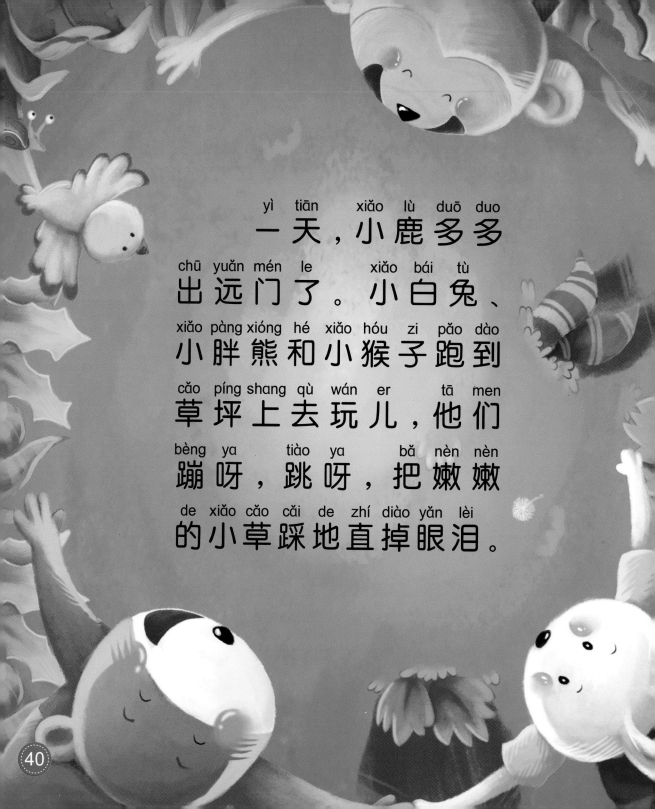

yì tiān, xiǎo lù duō duo
一天，小鹿多多
chū yuǎn mén le xiǎo bái tù
出远门了。小白兔、
xiǎo pàng xióng hé xiǎo hóu zi pǎo dào
小胖熊和小猴子跑到
cǎo píng shang qù wán er tā men
草坪上去玩儿，他们
bèng ya tiào ya bǎ nèn nèn
蹦呀，跳呀，把嫩嫩
de xiǎo cǎo cǎi de zhí diào yǎn lèi
的小草踩地直掉眼泪。

40

xiǎo bái tù　xiǎo pàng xióng hé xiǎo hóu zi wán lèi
小白兔、小胖熊和小猴子玩累

le　yòu zài cǎo píng shang jǔ xíng le fēng shèng de yàn huì
了，又在草坪上举行了丰盛的宴会，

bǎ lā jī rēng de dào chù dōu shì　xiǎo cǎo kū de gēng
把垃圾扔得到处都是。小草哭得更

lì hài le
厉害了。

41

guò le jǐ tiān duō duo huí lái le tā kàn
过了几天，多多回来了。他看
dào bèi nòng de luàn qī bā zāo de cǎo píng xīn li tè
到被弄得乱七八糟的草坪，心里特
bié nán guò tā shuō wǒ yào xiǎng ge bàn fǎ gào
别难过。他说："我要想个办法，告
sù xiǎo huǒ bàn men yào ài hù cǎo píng
诉小伙伴们要爱护草坪。"

第二天，多多找了一块木牌，认真地写道："小草也怕疼，大家爱护它。"小伙伴们看了，惭愧极了。

小草也怕疼
大家爱护它

从那以后，就没有人到草坪上去玩儿了，草坪变得越来越漂亮了。你看，随风摇摆的小草，正向你招手呢！

巨人奇遇记

很久以前，村子附近住着一个巨人，他的脸上长着一个大瘤子，人们都非常害怕他。

其实，巨人很善良，而且乐于帮助别人。可是大家一看到他进村，就马上躲进家里，大街上顿时空无一人。

46

巨人心里很难过，一个人忧伤地向城堡走去。走着走着，他突然看见一只受伤的小白兔。巨人小心地把小白兔抱回家，为它包扎伤口。

没过几天，小白兔就恢复了健康。巨人想领小白兔去村里转转，可又怕吓到别人。他难过地说："要是我也像村民那样就好了。"

就在这时，只见小白兔一转身，变成了一位仙女。她在巨人的头顶摸了摸，巨人的大瘤子就不见了，连个头儿也变小了。

巨人到了村子里，发现人们不再东躲西藏了。他真的和大家一样了！从此，他每天都过得很开心。

助幼敬老的小猴子

小猴子淘淘是一个特别有礼貌的小可爱，谁见了他都愿意和他说话。

Hi

今天天气很好，淘淘想要去找小松鼠一起玩。"淘淘哥哥。"淘淘左看右看也没有发现是谁在叫他。

淘淘想继续往前走。"淘淘哥哥，是我啊！我在这！"淘淘低头一看，原来是小麻雀。"你怎么了？""我要学飞，可是我飞不起来，我的翅膀摔断了。"

淘淘一听，赶紧捧起小麻雀，小心地爬上树，把小麻雀放进筑在树杈上的鸟巢。"谢谢你，淘淘哥哥。""不用谢。"

<ruby>淘<rt>táo</rt></ruby><ruby>淘<rt>tao</rt></ruby><ruby>又<rt>yòu</rt></ruby><ruby>向<rt>xiàng</rt></ruby><ruby>小<rt>xiǎo</rt></ruby><ruby>松<rt>sōng</rt></ruby><ruby>鼠<rt>shǔ</rt></ruby><ruby>家<rt>jiā</rt></ruby><ruby>走<rt>zǒu</rt></ruby><ruby>去<rt>qù</rt></ruby>。<ruby>刚<rt>gāng</rt></ruby><ruby>走<rt>zǒu</rt></ruby><ruby>了<rt>le</rt></ruby><ruby>不<rt>bù</rt></ruby><ruby>远<rt>yuǎn</rt></ruby>，<ruby>就<rt>jiù</rt></ruby><ruby>遇<rt>yù</rt></ruby><ruby>见<rt>jiàn</rt></ruby><ruby>了<rt>le</rt></ruby><ruby>牛<rt>niú</rt></ruby><ruby>婆<rt>pó</rt></ruby><ruby>婆<rt>po</rt></ruby>。<ruby>淘<rt>táo</rt></ruby><ruby>淘<rt>tao</rt></ruby><ruby>热<rt>rè</rt></ruby><ruby>情<rt>qíng</rt></ruby><ruby>地<rt>de</rt></ruby><ruby>打<rt>dǎ</rt></ruby><ruby>着<rt>zhe</rt></ruby><ruby>招<rt>zhāo</rt></ruby><ruby>呼<rt>hu</rt></ruby>。

niú pó po mǒ mo tóu shang de hàn shuō　　zǎo
牛婆婆抹抹头上的汗说："早
a　táo tao　　　táo tao kàn niú pó po zhèng chī lì
啊！淘淘！"淘淘看牛婆婆正吃力
de lā zhe yí dà chē de shū cài
地拉着一大车的蔬菜。

淘淘看见牛婆婆那么吃力，就说："牛婆婆，我来帮你吧！"说完，就在牛婆婆车后使劲地推了起来。

táo tao de xiǎo liǎn zhàng de tōng hóng　é tóu shèn
淘淘的小脸涨的通红，额头渗
chū le mì mì de hàn shuǐ　dàn shì táo tao réng rán jiān
出了密密的汗水。但是淘淘仍然坚
chí bāng zhù niú pó po tuī chē　méi hǎn yì shēng lèi
持帮助牛婆婆推车，没喊一声累。

niú pó po kàn dào le jiù shuō táo tao
牛婆婆看到了，就说："淘淘，

nǐ qù wán ba
你去玩吧！"

kě táo tao shuō méi
可淘淘说："没

guān xì wǒ bāng nín
关系，我帮您

gàn wán ba
干完吧！"

终于到了，没等
牛婆婆感谢他，淘淘
就跑走了。这下，
大家更喜欢懂
事的淘淘了。